GW00854918

Y Trên Sgrech

ALLAN AHLBERG · ANDRÉ AMSTUTZ

HUGHES

Ar fryn tywyll tywyll
mae 'na dref dywyll dywyll.
Yn y dref dywyll dywyll
mae 'na stryd dywyll dywyll.
I lawr y stryd dywyll dywyll
mae 'na orsaf dywyll dywyll.
Ac yn yr orsaf dywyll dywyll...

mae 'na drên sgrech!

Un noson, mae'r sgerbwd mawr,
y sgerbwd bach
a'r ci sgerbwd
yn mynd am dro ar y trên sgrech.

Maen nhw'n gadael y seler dywyll dywyll
ac yn cerdded i lawr y stryd dywyll dywyll.
Maen nhw'n sbecian trwy ambell ffenest
ar eu ffordd.

"Am dawel!" medd y sgerbwd mawr.
"Am ddymunol!" medd y sgerbwd bach.

Yn yr orsaf maen nhw'n
prynu eu tocynnau gan
fwystfil
ac yn eu dangos i
fwystfil arall.

"Am gwrtais!" medd y sgerbwd mawr.
"Am garedig!" medd y sgerbwd bach.

Am hanner nos, mae'r trên sgrech yn cyrraedd.
'Ydych chi'n credu mewn
ysbrydion?" gofynna'r ysbryd.
'Ydyn!" medd y sgerbydau.
'Da iawn!" medd yr ysbryd.
'Pawb i mewn!"

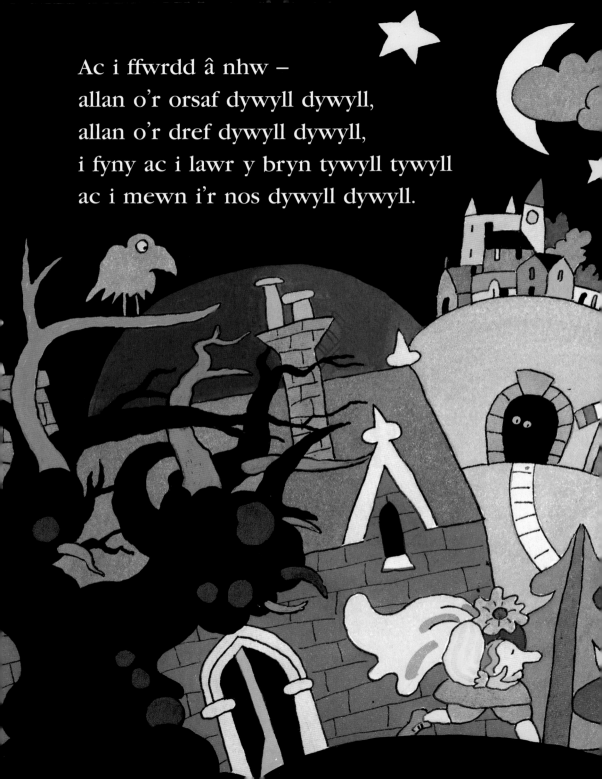

Ac i ffwrdd â nhw –
allan o'r orsaf dywyll dywyll,
allan o'r dref dywyll dywyll,
i fyny ac i lawr y bryn tywyll tywyll
ac i mewn i'r nos dywyll dywyll.

Mae'r tri sgerbwd
yn eistedd yn ymyl bwystfil mawr
ac yn rhannu jôc
gyda bwystfil bach.
"Am gyfeillgar!" medd y sgerbwd mawr.
"Am hwyl!" medd y sgerbwd bach.

Am un o'r gloch mae'r trên yn cyrraedd Aberysbryd.

Mae'r sgerbydau'n gadael y trên
ac yn cerdded hyd y lle.
Maen nhw'n cicio ysbryd o bêl
ac yn dal ysbryd o bysgodyn.
Maen nhw'n padlo yn y môr tywyll tywyll
ac yn mynd ar gefn y mulod tywyll tywyll.

Maen nhw'n gwylio
CYSTADLEUAETH Y BWYSTFIL TLYSAF.

"Am swynol!" medd y sgerbwd mawr.
"Am grand!" medd y sgerbwd bach.

Am dri o'r gloch
mae chwiban y trên yn canu.
Mae'n amser mynd.
Mae'r sgerbydau'n dringo i mewn
i'r trên ac yn gadael –
gadael y môr tywyll tywyll,
gadael y tywod tywyll tywyll,
i mewn ac allan o'r twnnel tywyll tywyll <u>iawn</u>
ac i ganol y nos dywyll dywyll.

Am bedwar o'r gloch
mae'r trên yn cyrraedd yr orsaf.

Mae'r sgerbwd mawr, y sgerbwd bach
a'r ci sgerbwd yn brysio adref.
Maen nhw'n sbecian trwy ambell ffenest
ar eu ffordd.
Yn sydyn, mae <u>babi</u> yn crio.
(Ydych chi'n credu mewn babanod?)
"Waaaaa!"

"Am erchyll!" medd y sgerbwd mawr.
"Am ddychrynllyd!" medd y sgerbwd bach.
"Aww—w!" uda'r ci.

Ac i ffwrdd â nhw –
i mewn i'r tŷ,
i lawr y grisiau,
i mewn i'r seler
ac <u>o dan</u> y gwely.

Ar fryn tywyll tywyll
mae 'na dref dywyll dywyll.
Yn y dref dywyll dywyll
mae 'na stryd dywyll dywyll.
I lawr y stryd dywyll dywyll
mae 'na orsaf dywyll dywyll.
Ac yn yr orsaf dywyll dywyll
mae 'na drên sgrech.

Hoffech <u>chi</u> fynd arno?

Y Diwedd

Argraffiad Cymraeg cyntaf gan Hughes a'i Fab 1995
Hawlfraint y testun Cymraeg © Hughes a'i Fab 1995
Addasiad Cymraeg Dylan Williams
Teitl gwreiddiol: *The Ghost Train*
Hawlfraint testun © Allan Ahlberg 1990
Hawlfraint lluniau © André Amstutz 1990
Mae hawl Allan Ahlberg ac André Amstutz i'w cydnabod fel
awdur ac arlunydd y gwaith hwn wedi ei gofnodi ganddynt
yn unol â'r Copyright Designs and Patents Act 1988.
Cyhoeddwyd gyntaf yn Saesneg ym 1990 gan
William Heinemann Ltd.
Cyhoeddwyd ym 1992 gan Little Mammoth,
imprint o Reed Consumer Books Ltd,
Michelin House, 81 Fulham Road, Llundain SW3 6RB
ISBN 0 85284 178 7
Cysodwyd gan Pia, 37 Heol Siarl, Caerdydd CF1 9XY
Argraffwyd yn China.
Cyhoeddwyd gan Hughes a'i Fab, Parc Tŷ Glas,
Llanisien, Caerdydd CF4 5DU
Cedwir pob hawl.